LES JARDINS DE LA SOCIALE

Collection dirigée par Jacques Péron

© Editions Du May
116, rue du Bac, 75007 Paris
Octobre 1992
ISBN 2-906450-78-2

Olivier Cena

LES JARDINS
DE LA SOCIALE

Album de famille
DU MAY

A Louis Kinnel.

Comme ça, par habitude, je lève la tête et je regarde le sommet de la colline. Je ne vois que le bois de sapins, la ligne brisée des cimes qui semble se perdre dans les nuages bas, et puis le vert profond, dense, qui m'est toujours apparu comme le vert de l'Enfer de Dante, celui que j'imaginais en feuilletant autrefois un livre de gravures de Gustave Doré. Vers la gauche, je devine des constructions nouvelles que je ne veux pas voir, beiges, roses ou blanchâtres, bâties à la hâte, stupides erreurs chromatiques que la forêt supporte et que le ciel distant couvre de son indifférence. A flanc de colline, j'aperçois par endroits les courbes de la route aujourd'hui goudronnée; jadis chemin de terre claire, presque blanche, parsemée de cailloux bruns, creusé de deux profondes ornières que remplissait, les jours de pluie, une eau vive et boueuse.

Je suis adossé au muret qui longe le ruisseau, tout près de mon enfance. J'entends derrière moi le chant de la cascade, à peine un petit gour, et la rumeur de l'usine sous laquelle disparaît un bras du ruisseau qu'enfant je rêvais d'explorer. Je ne veux pas encore me retourner.

Il me suffit de plisser les yeux pour revoir devant moi l'épais mur de pierres à présent remplacé par une aire de garage. Il longeait la route jusqu'à l'embranchement du chemin de terre claire. Il protégeait une étrange décharge, sorte de lac chimique que l'usine nourrissait de ses déchets toxiques. J'ai souvent contemplé le cloaque, les bulles qui se formaient à sa surface et éclataient en délivrant une puanteur obscène. Je m'asseyais dans la forêt sur un tapis d'aiguilles sèches et frissonnais à l'idée que je puisse glisser et dévaler dans la décharge, me noyer dans le magma, disparaître dans les excréments de l'usine. Je ne m'en approchais jamais.

Bientôt les Indiens sortiront de leur réserve. Je les guettais, masqué par le tronc d'un sapin, le barillet de mon revolver chargé d'un rouleau d'amorces acheté ou dérobé au bazar de la mère Grange. J'en tuais des centaines mais ils revenaient toujours aussi nombreux, par vagues régulières à la sirène hurlante. Je tirais et ils riaient, titubaient parfois en se tenant le cœur, me passaient la main dans les cheveux ou m'offraient une sucette, avant d'entrer dans le café des Brunel d'où me parvenait, assourdi, l'écho de leurs voix graves. J'avais en ce temps-là des centaines de copains.

Je fixe la route et m'apparaît l'ancien chemin de terre claire. J'entends le crissement de la roue de la brouette de bois et les craquements acides du cercle de fer sur le silex brun. Je sens le parfum nauséeux de la décharge. Mon grand-père pousse la brouette et je retiens la bêche qui dans la pente ne cesse de glisser. Je me tais; je traîne le pas; je chasse à coups de pied rageurs les silex bruns que je rencontre sur mon chemin. Je boude et mon grand-père sifflote. Je le déteste.

Ici je suis né, dans une petite maison de pierres, tout près de l'usine que ma grand-mère gardait. L'histoire mythique de notre famille raconte comment mon grand-père transforma pendant la guerre d'anciens ateliers de textile en fabrique moderne de médicaments. Elle fourmille d'anecdotes héroïques, de combats titanesques contre la matière et contre les éléments. Elle dit le courage et la grandeur d'hommes simples, arrachés à la terre, leur ingéniosité face au dénuement. Elle dit la dignité et la fraternité .

... Un soir, les hommes se réunirent autour d'un brasero. Le charbon rougeoyant éclairait faiblement leurs visages fatigués. Ils parlaient des cuves de fermentation qu'ils avaient commandées mais qui n'arrivaient pas, qui n'arriveraient jamais. Ils décidèrent, entre deux verres de vin noir, de les construire eux-mêmes, mais comment donner aux fonds des cuves le bombement nécessaire? Ils inventèrent une machine primitive, constituée d'un poids de fonte, d'une corde et d'une poulie. Le lendemain, ils se mirent au travail: ils se relayaient pour soulever le poids de fonte et le lâcher sur une plaque d'acier disposée sur le sol. L'effort paraissait inhumain; ils baptisèrent la machine; ils l'appelèrent la Vache...

A mi-pente de la colline, le chemin croise un autre chemin: là est le jardin. Une barrière symbolique le délimite, l'isole des autres jardins: une haie d'arbrisseaux fruitiers, quelques piquets de bois reliés par une ficelle. Dans mon souvenir, il n'y a pas de cabane; nous montons tout à la brouette, même l'arrosoir de fer blanc; sans doute existe-t-il une source, peut-être une fontaine? Entre l'orée du bois de sapins et le bosquet de bouleaux, il me semble chaque fois en contrebas redécouvrir l'usine.

Longtemps j'ai cru que l'usine nous appartenait. Nous habitions la conciergerie de la porte nord. L'une des fenêtres de ma chambre s'ouvrait sur la cascade, l'autre sur la menuiserie. Je voyais ma grand-mère lever et baisser la barrière, autoriser l'entrée des camions, ranger les clés sur le tableau, commander les gardiens de jour. Le soir, je me retrouvais seul dans le camps des Indiens. Je me cachais sur les cuves d'acide pour suivre la ronde des pompiers. Je me faufilais dans l'atelier de mécanique. Je tirais au lance-pierre les ampoules électriques. Les ouvriers découvraient les traces de mon passage mais ne me grondaient jamais. Une seule fois mon grand-père m'attrapa pour m'enseigner la vie, comme il disait, pour m'expliquer le travail des compagnons et le respect que je leur devais: j'avais, un dimanche, utilisé le bois coté par les menuisiers pour me fabriquer une arbalète.

Je revois le jardin, les plans de petits pois, de haricots verts, de mange-tout, les longs sillons creusés entre les pieds de pommes de terre, le carré de carottes, les rangées de poireaux et de salades. Nous avons garé la brouette à l'entrée du jardin. Mon grand-père roule une cigarette entre ses mains habiles. Le travail va bientôt commencer.

Une large route en pente traverse l'usine, reliant la porte nord à la porte sud, la petite place du café des Brunel à la route nationale. Le dimanche, j'y installais un circuit, des chicanes, des tremplins que je franchissais en patinette ou en cyclorameur. La semaine, je m'accrochais au dernier wagon du petit train à pneus qui ramassait les déchets de l'usine pour les emporter à la décharge: tout ce qui est liquide à gauche, dans le grand cloaque; les bidons et les fûts vides à droite, au pied du bois de sapins, des centaines de bidons et de fûts vides entassés, puis aplatis dans la presse hydraulique, puis revendus au fer-railleur, Monsieur Massoub, qu'on appelait aussi le chiffonnier et qui roulait en Juva Quatre.

Mon grand-père retourne la terre; je suis le sillon à quatre pattes et remplis le panier. Lorsque le panier est plein, je le porte jusqu'à la brouette. Parfois, je le vois se redresser, soutenir ses reins à deux mains, esquisser une grimace, puis se remettre au travail, bêchant avec application. La sueur, à l'endroit des aisselles, dessine sur son maillot de corps bleu des auréoles brunes.

... Il est né rue de Belleville, avec le siècle. Très vite ses parents émi-grèrent près des fortifications des Lilas, à Romainville, au milieu des champs de framboisiers. A douze ans, il travaillait déjà au dépôt des tramways; à quatorze ans, pendant la guerre, il commandait une équipe de femmes. Plus tard, il devint charpentier...

Je reste là, à regarder la route que je ne prendrai pas, à revoir le che-min de terre claire et le jardin disparu. Je n'éprouve aucune nostalgie; je me souviens, voilà tout. Le café des Brunel est devenu le café des Brugières, puis aujourd'hui un bistrot anonyme. La conciergerie, un temps occupée par les pompiers, s'est métamorphosée en bureaux d'aide sociale. Elle demeure le seul vestige de l'ancienne usine: de la porte nord à la porte sud s'élèvent des bâtiments modernes, sophisti-qués, où quelques hommes-cosmonautes travaillent dans des environ-nements cyanurés. D'autres hommes surveillent sur des écrans le bon fonctionnement des machines ultra-perfectionnées. Que sont devenus les Indiens, ailleurs que dans mon souvenir?

Mon grand-père s'arrête souvent de bêcher, soit pour cracher dans ses mains, soit pour repousser sa casquette vers l'arrière de sa tête et s'éponger le front. Lorsqu'il se roule une cigarette et l'allume en cli-gnant des yeux, je sais que le travail s'achève. Il regarde la fumée s'envoler dans le ciel et me dit en souriant: la brouette est pleine, tu peux toucher ta paye. Je me précipite alors vers les arbrisseaux délimi-tant le jardin et je me gave de groseilles à maquereau, mes préférées, de framboises et de cassis. Le soir, nous mangeons les pommes de terre fraîchement ramassées que mon grand-père appelle nos pommes de terre. Elles sont délicieuses. Elles ont le goût du bonheur.

J'entends la sirène. Les employés vont sortir de l'usine. Je ne veux pas les voir. Je dois bouger.

Je connais la route par cœur, le nom des villes et des villages qui la jalonnent. Elle me conduit à Paris. Je préférais autrefois le train. Mon grand-père m'attendait à la gare. Sitôt descendu du wagon, j'entendais son sifflet strident. Les autres voyageurs se retournaient mais lui ne voyait que moi. Il portait ma valise et nous remontions la route à pied jusqu'à la conciergerie. Il n'a jamais possédé de voiture. Il connaissait sur le bout des doigts les horaires de tous les trains de France.

En 1965, mon grand-père fut mis à la retraite et chassé, disait-il, de cette usine qui ne nous appartenait pas. Les Indiens pleuraient comme s'il avaient su que s'achevait un monde: leur monde. Onze ans plus tard, j'ai revu leurs larmes. Ils me paraissaient vieux, usés. Ils avaient revêtu leur bleus de travail pour porter le cercueil. Ils enterraient dignement l'un des leurs, mon grand-père, un compagnon, un ouvrier. Ils ne travaillaient plus, les plus vieux parce qu'ils étaient vieux, les plus jeunes parce qu'une fatigue jusqu'alors inconnue habitait maintenant leurs corps. Tous avaient quitté cette usine qu'ils avaient bâtie de leurs mains et qu'ils ne reconnaissaient plus, où ils n'avaient plus de place, où ils n'existaient plus. Même les murs conservant le souvenir de leurs larmes, de leurs rires, de leur sueur et de leur sang avaient disparu. Ils cultivaient leurs jardins et parlaient peu de l'usine, se défiant des mots amers qui étouffent, qui aveuglent, qui emmènent au cimetière.

La mort de mon grand-père leur offrait l'occasion de se souvenir, d'exister un peu, de pleurer sans crainte. Les anciens racontaient la Vache; les plus jeunes se rappelaient les coups de pied au cul lorsque, simples arpètes, leurs mains encore malhabiles s'exerçaient au maniement de l'outil. Derrière le cercueil, ma grand-mère, peu à peu, disparaissait dans sa douleur.

... Il prenait à la place Carnot le tram 21 qui dévalait la côte de la Vierge, traversait Noisy-le-Sec pour s'arrêter à Bondy près du canal de l'Ourcq. Là, sur le quai, face au pont levant, il récupérait son vélo garé dans l'arrière-cour d'un bistrot pour rejoindre les chantiers de Drancy. Il y buvait aussi un café, l'hiver rallongé d'une fine. Un matin, en entrant comme à son habitude: l'index posé sur la longue visière de sa casquette en guise de salut, il aperçut la nouvelle serveuse, la nièce de la patronne, une fille de la campagne. Ils se regardèrent longtemps, se sourirent peut-être? Elle sut que c'était lui...

Ici, rien n'a changé, ou si peu, quelques immeubles HLM en plus, au loin, qui touchent le ciel, lui donnent de l'urticaire. Autrefois, seuls les gratte-ciel de Drancy découpaient l'horizon, plus hauts que les cheminées d'usines, quatre tours, je crois, que je ne retrouve plus, perdues dans l'amas de béton. J'essaie d'imaginer les champs de framboisiers, les jardins des maraîchers, mais je n'y parviens pas; je ne les ai jamais vus. Lorsque nous nous sommes installés, mes parents et moi, dans la maison de mon grand-père, détruite pendant la guerre par les bombardements américains, puis reconstruite à la Libération, le paysage était le même: le cimetière, la carrière de plâtre qui blanchissait un bout de forêt miraculeusement préservée, et, dans le lointain, la zone industrielle, les gratte-ciel de Drancy et l'aéroport du Bourget où, par beau temps, je voyais les avions atterrir, décoller, tournoyer dans le ciel. La terre, ici, est pourtant l'une des plus riches de France.

Là j'ai vécu, dans une maison de briques rouges entourée d'une cour bétonnée où je jouais. Un grillage interdisait l'accès au jardin; la porte en était constamment fermée; mon père gardait la clé. On l'appelait le jardin «à la française», parce que s'y trouvaient un précieux gazon, des massifs de fleurs géométriques, des haies de lauriers parfaitement taillés, une allée de dalles ocre cloisonnées de sagine. Pas une mauvaise herbe n'y poussait; pas un seul enfant n'y courait. Les pensées, les géraniums, les hortensias ou les clématites avaient eux-mêmes du mal à s'y acclimater. Un saule pleureur, malgré l'intensité de l'arrosage, ne parvint jamais à l'âge adulte, et trois jeunes bouleaux, arbres pourtant réputés résistants, dépérirent. Seul un sapin bleu d'une extraordinaire vigueur récompensa les efforts de mon père: il poussa tant et tant, déploya une telle envergure qu'il massacra le précieux gazon de la partie haute du jardin où, de toute façon, personne depuis longtemps ne pouvait plus pénétrer. Je jouais dans la cour bétonnée, mais je mangeais les cerises du voisin.

Le plateau du Nord-Est parisien s'achève ici, derrière l'église, contre la rambarde qui domine le cimetière. A l'ouest, on y monte par la rue de Ménilmontant ou la rue de Belleville où est né mon grand-père; au sud par la rue des Pyrénées; au nord par les Buttes-Chaumont, autrefois les collines du mont Chauve. Outre la petite partie parisienne, quatre communes de la banlieue l'occupent: Romainville, Les Lilas, Montreuil et Bagnolet. La rue Paul-de-Kock, où j'habitais, rejoint la plaine: une vaste zone industrielle coincée entre le pied du plateau et le canal de l'Ourcq. Je la descendais et la montais chaque jour, du cimetière aux usines pour prendre l'autobus qui me menait à l'école primaire de Pantin; des usines au cimetière pour revenir chez moi. Je longeais la casse de voitures, quelques pavillons de meulière rachitiques, le café «Au bon coin», l'entreprise de charbon et fuel du père de mon copain d'école Ziézelmayer, que j'appelais Zié, et un grand terrain vague s'achevant sur les jardins ouvriers. Chaque jour, en regardant les jardins, je pensais à mon grand-père, là-bas, aux rangées de pommes de terre, au carré de carottes, au chemin de terre claire qui serpentait sur le flanc de la colline, aux bois de sapins, au ciel bleu, ensoleillé, toujours bleu et ensoleillé, même quand il pleuvait.

Il fait froid. Le vent du nord balaie la plaine, remonte la pente et nettoie le plateau de la pollution qui noircit les façades des immeubles. La banlieue ne ressemble à rien. Je suis nulle part, près de mon autre enfance. Le ciel gris ombre l'horizon, si bas que quelques tours s'y perdent; il sied au paysage. J'aime pourtant cette tristesse que ma mélancolie si longtemps épousa. De la fenêtre de ma chambre j'apercevais la mer, les palmiers de ferraille, les grands navires de briques ou de béton, les grues des docks et les fumées des steamers en partance pour de lointains voyages. A l'église de Pantin, je montais dans l'autobus 144 qui me menait à Tombouctou. De la cour de l'école, je contemplais les péniches sur le canal de l'Ourcq; elles portaient en leurs ventres les trésors du Négus et tout l'or du Pérou. Le soir, j'observais le jardin au-delà de la grille, rêvant d'y planter quelques radis que je cultiverais, que je cueillerais, que je mangerais, et puis des potirons obèses que j'exposerais sur le toit de ma cabane, sans nul doute les plus beaux potirons du quartier.

L'entreprise Ziézelmayer a disparu. A la place de la maison et de la grande cour où le père Zié garait son camion s'élève un bâtiment industriel préfabriqué. Un nouveau cimetière occupe maintenant un bout du terrain vague. Jadis, ici, une sente menait aux jardins ouvriers.

On y accède aujourd'hui par la route de Noisy, au nord, qui sur deux cents mètres les sépare de la zone industrielle. La venelle s'enfonce dans un bosquet de sureaux et de lilas. Elle longe une clôture grillagée où de petites portes fermées par des cadenas conduisent aux jardins. Sur la soixantaine de lopins, les trois quarts sont cultivés, entretenus, choyés et souvent décorés de massifs de rosiers. Autour des cabanes disparates, des bidons identiques en plastique bleu recueillent l'eau de pluie. Les taches orange des potirons répartis çà et là dessinent sur les verts tendres ou durs des potagers d'étranges arabesques.

Au loin, dans l'un des jardins qui bordent le terrain vague, un enfant muni d'un long bâton gaule des pommes. Je lui devine la tête hirsute des gamins de Doisneau. Ici, rien ne change jamais, même le terrain vague, forêt vierge envahie de liseron ou parcelle de savane accidentée, où la carcasse rouillée d'une mobylette carbonisée gisant dans une herbe sale témoigne d'une humanité perdue, sacrifiée, abandonnée à la tristesse qui couvre les bâtisses d'une fine pellicule grise, là où autrefois poussaient les framboisiers.

Je n'éprouve aucune nostalgie; juste un peu de colère, peut-être, devant le désespoir; juste un peu de chagrin face à ces bouts de terre miraculeusement préservés, minuscules paradis coincés entre un terrain vague, une zone industrielle et un immense entrepôt de matériaux de construction, là où nul ne peut vivre mais où pourtant, d'un jardin ouvrier en friche, deux yeux me guettent à travers les branchages. Il fait froid. Je dois bouger.

Non, je n'éprouve aucune nostalgie; je me souviens, voilà tout. Je me souviens des colis de légumes préparés par mon grand-père, convoyés par un camion de l'usine, que nous recevions chaque semaine, et que nous mangions en parlant de là-bas: là-bas, il paraît qu'il pleut; là-bas, ils construisent un nouvel atelier; là-bas, le père Brunel est mort. Je me souviens de la démarche fière d'un homme, de son regard bienveillant, de ses mains calleuses si douces pourtant, de son caractère de cochon disait-on, de son dévouement; de sa casquette grise à longue visière qu'à sa mort ma grand-mère me donna et que depuis je conserve comme une relique.

Et puis je me souviens qu'entre ici et là-bas longtemps je fus ailleurs, entre un jardin ouvrier et un jardin de fleurs.

2

3

4

5

6

7

8

9

10

11

14

15

16

18

19

20

22

23

24

25

26

30

33

34

35

36

38

41

42

43

44

45

46

48

50

55

56

57

59

61

63

66

68

CIRC^{ce} 2^m83
Poids 10^{kg}

71

72

74

75

76

84

85

LÉGENDES DES PHOTOGRAPHIES

1, 2, 3. Société des Mines de Lens en 1906.

4. Un coin de la Mouchonnière à Seclin.

5. Jardins ouvriers de Versailles.

6. Strasbourg en 1924.

7. Société blésoise des jardins ouvriers, groupe de Vienne.

8. Jardins ouvriers de la porte de Versailles.

9. Jardins ouvriers de la banlieue parisienne.

10. Jardins ouvriers de Bordeaux.

11. Groupe dans un jardin ouvrier de la région parisienne.

12. Fortifications de Paris transformées en jardins potagers, 1920.

13, 14, 15, 16. Ecole à la Société des Mines de Lens en 1906.

17. Usine avec petits jardins ouvriers à Gennevilliers.

18, 19. Congrès régional des jardins ouvriers à Strasbourg en 1924.

20, 21. Jardins ouvriers d'Arcueil en 1919-1922.

22, 23. Enfants pendant le Congrès des jardins ouvriers
à Strasbourg en 1924.

24, 25. Œuvre réalisée dans un jardin ouvrier de mineurs dans le Nord.

26. Mademoiselle Vincent, une des fondatrices du jardin ouvrier
établi dans les anciennes fortifications de Paris.

27. Jardin ouvrier près de la porte de Champerret.

28. Ecole de jardin ouvrier à la Société des Mines de fer
de Saint-Pierremont
à Mancieulles en Meurthe-et-Moselle.

29. Groupe dans le jardin ouvrier de Saint-Roch à Toulouse en 1930.

30. Monsieur Moigas dans son jardin ouvrier à Cholet
dans le Maine-et-Loire.

31. Jardin ouvrier à Fontaines-les-Grès, dans l'Aube en 1936.

32. Famille nombreuse dans un jardin ouvrier de la rue Carnot à Ivry.

33, 34. Jardins ouvriers dans le Fort de Bicêtre en 1924.

35. Jardin ouvrier de Paris.

36. Société de jardins ouvriers de Nancy.

37. Jardins ouvriers de Hajebroulk en 1938.

38. Famille dans un jardin ouvrier de Paris.

39. Plantation dans un jardin ouvrier de Paris.

40. Jardins ouvriers à Paris, dans le XIIIe arrondissement en 1939.

41. Jardins ouvriers de la section d'apprentissage supérieur à Lyon.

42. Jardins ouvriers de Montrouge.

43, 44. Jardins ouvriers d'Ivry.

45. Monsieur Debat fait aménager les terrains de l'hippodrome
de Saint-Cloud en jardins ouvriers en 1941.

46. Terrains au sud des Moulins de Pantin aménagés
en jardins ouvriers en 1941.

47. Jardins ouvriers de la région parisienne en 1942.

48. Jardins ouvriers des environs de Paris en 1942.

49. Dans un jardin ouvrier d'Ivry.

50. Un concours dans un jardin ouvrier du Fort de Bicêtre.

51. Famille dans un jardin ouvrier de Villejuif.

52, 53. Ecole d'apprentissage supérieur dans un jardin ouvrier de Lyon.

54. Jardin ouvrier d'Ivry.

55. Jardin ouvrier du Fort de Bicêtre.

56, 57. Jardin ouvrier d'Ivry.

58. Jardin ouvrier de Villejuif.

59. Jardin ouvrier du Fort de Bicêtre.

60. Usine avec jardins ouvriers à Gennevilliers en 1949.

61. Jardin ouvrier dans la région parisienne.

62. Jardins ouvriers dans la banlieue parisienne.

63. Jardins des pavillons de banlieue parisienne en 1946.

64. Jardins ouvriers dans les fossés du Fort d'Ivry en 1944.

65. Jardin ouvrier de L'Hay-les-Roses en 1946.

66. Jardin ouvrier d'Ivry.

67. Jardins ouvriers de la région parisienne.

68. L'arbre, Paris en 1946.

69. Jardin ouvrier de la banlieue palisienne.

70,71,72. Concours dans les jardins ouvriers.

73. Jardin ouvrier de la région parisienne.

74. Jardin ouvrier de Créteil en 1989.

75, 76. Stains, dans la région parisienne en 1989.

77. Jardin ouvrier de Bagnolet en l991.

78. Jardin ouvrier de Bagnolet en 1991.

79,80. Jardins ouvriers de Thiais, Val-de-Marne en 1989.

81, 82. Jardin ouvrier de Créteil en 1989.

83, 84. Jardin ouvrier du Fort d'Ivry en 1989.

85. Jardins ouvriers de Thiais, Val- de-Marne en 1988.

DU MÊME AUTEUR

Peintures, nouvelles, éditions Mots d'homme, 1986.
La Femme de plâtre, éditions Calmann-Lévy, 1991.

CREDITS PHOTOGRAPHIQUES

FDAC, Val-de-Marne: Faujour: 74, 79, 80, 81, 82, 83, 84, 85. KEYSTONE: 47.
LIGUE DU COIN DE TERRE ET DU FOYER: 4, 5, 6, 7, 8, 9, 10, 11, 18, 19, 20,
21, 22, 23, 24, 25, 28, 29, 30, 31, 32, 33, 34, 35, 36, 37, 38, 39, 40, 41, 42, 43, 44, 49, 50, 51, 52, 53, 54,
55, 56, 57, 58, 59, 61, 66; Charmet: 1, 2, 3, 13, 14, 15, 16.
L'ILLUSTRATION/ SYGMA: 12, 45, 46. RAPHO, Doisneau: 62, 64, 65, 68, 69, 73;
Ronis: 67. ROGER-VIOLLET: 17, 26, 27, 48, 60, 63. SABLONNIERES: 75, 76, 77,78.
LA VIE DU RAIL: 70, 71, 72.

Maquette: Richard Medioni
Composition: RMFB
Photogravure: Jovis
Reliure: Diguet-Deny

Achevé d'imprimer
sur les presses de l'imprimerie Jean Lamour
à Maxéville en octobre 1992